LA BANDE DESSINÉE

THIERRY GROENSTEEN

LES ESSENTIELS MILAN

Sommaire

Les mots suivis d'un astérisque (*) sont expliqués dans le glossaire.

Le royaume de l'imaginaire

Superman, le Marsupilami, Popeye ou Lucky Luke sont des personnages connus de tous. Bien que très différents les uns des autres, ils ont en commun de devoir leur naissance à quelques coups de crayon. La bande dessinée, ce moyen d'expression artisanal, qui combine les possibilités de l'écrit et de l'image, est capable de donner naissance à des univers consistants. L'imagination n'y connaît aucune limite, et son langage est compris de tous. L'Europe a longtemps sous-estimé le potentiel du récit dessiné. Partiellement réhabilité depuis les années 1960, le «neuvième art» est encore largement victime de la conception réductrice que s'en fait un public peu informé de sa diversité.

Cet ouvrage se propose de donner un aperçu de son riche patrimoine, présenté selon une perspective à la fois historique et esthétique. Il évalue aussi la situation de la bande dessinée dans le paysage culturel contemporain et au milieu du concert des médias.

Lucky Luke -
« Le Klondike »
© Lucky
Productions,
1996.

Les origines

La bande dessinée – qui ne s'appelle pas encore ainsi – naît, sous forme d'albums destinés aux adultes, au cours de la première moitié du XIXᵉ siècle.

De saintes origines
Les *Cantigas de Santa Maria*, composés en Espagne vers 1270, ressemblent à un véritable album de BD qui raconte, à raison de six cases par page, les miracles de la Vierge.

Une tradition diffuse

L'histoire du récit en images est très ancienne et concerne toutes les civilisations. Mais les supports accueillant des récits en séquences d'images ont longtemps été des plus hétérogènes : la liste va de la colonne Trajane (érigée en 113) à la « tapisserie de Bayeux » (1066-1077), en passant par quantité de fresques, vitraux, chemins de croix, bas-reliefs, etc. L'histoire de l'art ne pouvait donc pas reconnaître dans la dimension narrative de ces œuvres le critère d'une discipline autonome au sein des arts visuels.

Détail de la « tapisserie de Bayeux » (1066-1077). Cette œuvre, de plus de soixante-dix mètres de long sur cinquante centimètres de large, retrace la conquête de l'Angleterre par Guillaume le Conquérant en 1066.

Victime de l'imprimerie

Dès le Moyen Âge, les manuscrits enluminés comportent quelquefois de véritables récits séquentiels, les images se partageant une même page. Bulles* de pensée, onomatopées*, lignes de mouvement, dessin caricatural: la presque totalité des composants de la bande dessinée existe déjà - mais les manuscrits ne sont ni imprimés, ni diffusés. Quand Gutenberg invente l'imprimerie moderne vers 1450, ce progrès entraîne une séparation durable entre l'écrit et le dessin, reproduits selon des techniques différentes.

Les cycles moraux de Hogarth

Pendant 350 ans, l'impression des images s'effectue selon le procédé de la gravure (sur cuivre ou sur bois). Le dessin fourni par l'artiste est généralement confié à un atelier et réinterprété par un artisan spécialisé. L'un des maîtres de la gravure est le peintre et caricaturiste anglais William Hogarth (1697-1764). Il est l'auteur de cycles développant la «carrière» d'un personnage en une dizaine de gravures. Son propos est moral et il compare ses personnages à des acteurs de théâtre.

Töpffer invente l'album

Écrivain, fils de peintre, maître de pension, le Genevois Rodolphe Töpffer (1799-1846) publie, à partir de 1833, les sept premiers véritables albums de bande dessinée. Chacun de ces volumes raconte les mésaventures comiques d'un personnage imaginaire, souvent ridicule: Mr Jabot, Mr Vieux Bois, Mr Cryptogame ou encore le Docteur Festus sont représentés près de 200 fois. Töpffer utilise une variante du procédé lithographique, breveté en 1800. Le texte est écrit à la main, la mise en page *souple et parfois inventive, l'action découpée de façon très dynamique, et l'humour omniprésent. Conscient d'inaugurer un nouveau mode d'expression (qu'il appelle la «littérature en estampes»), Töpffer s'en fait aussi le théoricien. Réédités chez Garnier en 1860, ses albums auront été traduits dans toute l'Europe.

> « *Les dessins, sans le texte, n'auraient qu'une signification obscure; le texte, sans les dessins, ne signifierait rien. Le tout ensemble forme une sorte de roman d'autant plus original qu'il ne ressemble pas mieux à un roman qu'à autre chose.* » **Töpffer (1837)**

> La bande dessinée plonge ses racines dans une « préhistoire » fort lointaine, mais son histoire commence vraiment au XIXe siècle, avec les albums de Töpffer.

Les histoires en images

Refusant d'utiliser la bulle* (procédé connu de longue date), la bande dessinée d'expression française place le texte sous l'image. Elle reste ainsi fidèle, pendant près d'un siècle, à la tradition du dessin légendé.

Une folie russe
L'Histoire dramatique, pittoresque et caricaturale de la Sainte Russie (1854) marque les adieux de Gustave Doré à la BD. C'est un feu d'artifice de pastiches, fausse érudition, jeux de mots, adresses au lecteur, mises en abyme, etc.

La vache !
Dans *Une vache qui regarde passer le train* de Caran d'Ache (1858-1909), la seule action tient dans le déplacement latéral des yeux du ruminant.

L'imagerie populaire

Le commerce des images populaires se développe en France à la fin du XVIIIᵉ siècle. De nombreuses villes produisent de ces feuilles volantes coloriées, que les colporteurs vendent dans tout le pays. L'adoption de la lithographie permettra à l'imagerie Pellerin de surclasser ses concurrents et d'inonder le marché de ses «images d'Épinal». Scènes religieuses ou militaires, chansons et mythes populaires, contes de fées, tels sont les principaux thèmes traités, pour les adultes ou pour les enfants. Cette production décline à partir de 1880 et ne survit pas à la Première Guerre mondiale. Elle ne s'est jamais vraiment affranchie d'une conception illustrative de l'image, subordonnée au texte.

Les héritiers de Töpffer

Les premiers albums imités de Töpffer (1799-1846) paraissent de son vivant. En France, Cham est un disciple très fécond mais assez peu inspiré. Avant de devenir un photographe célèbre, Nadar (1820-1910) signe en 1848 une BD politique, *Môssieu Réac*. Le jeune Gustave Doré (1832-1883) publie aussi plusieurs albums*, dont *Les Travaux d'Hercule* à l'âge de quinze ans! Avec ses *Mésaventures de M. Bêton*, Léonce Petit (1839-1884) est très fidèle à l'esprit du maître genevois.

La presse satirique

Entre 1880 et 1914, la bande dessinée rejoint le dessin d'humour au sommaire des revues satiriques pour adultes, comme *Le Chat noir* ou *Le Rire*. De Caran d'Ache à Émile

Cohl en passant par Adolphe Willette, Louis Döes, Henri de Sta et Fernand Fau, toute une génération de dessinateurs cultive l'histoire drôle, fréquemment muette, en une ou quelques pages. Elle emprunte notamment à l'école allemande, celle des hebdomadaires satiriques «Fliegende Blätter» et des «Bilderbogen», où brille Wilhelm Busch (1832-1908), l'auteur de *Max und Moritz* (1865).

Christophe : le tournant

Le professeur Georges Colomb, dit Christophe (1856-1945), ne se consacre à la bande dessinée que de 1889 à 1905. Il publie chaque semaine dans *Le Petit Français illustré* d'Armand Colin les aventures de ses personnages, *La Famille Fenouillard*, *Le Savant Cosinus* ou encore *Le Sapeur Camember*. Christophe donne le coup d'envoi à la presse enfantine illustrée. Le support privilégié de la bande dessinée sera désormais, pour longtemps, le périodique, et non plus l'album.

Le savant Cosinus créé par Christophe.

La bande dessinée semble hésiter quant à son public et à son support, jusqu'à ce que Christophe, à la fin du siècle dernier, en fasse une composante majeure de la presse enfantine.

Hergé

Avec *Tintin*, le Belge Georges Remi,
dit Hergé (1907-1983), crée le classique
par excellence de la bande dessinée
européenne, et l'une des œuvres mythiques
du xxe siècle.

Zig et Puce ouvrent la voie

Pour boucher un trou dans les pages du *Dimanche-Illustré*,
Alain Saint-Ogan (1895-1974) improvise un couple
contrasté. Zig, le grand efflanqué, et Puce, le petit gros,
rêvent d'Amérique. Leurs aventures les entraîneront tout
autour du monde, toujours accompagnés du pingouin
Alfred, leur populaire mascotte. L'énorme succès de *Zig et
Puce* permet à la bulle* (dont
Saint-Ogan se sert à l'imita-
tion des *comics* américains)
de vaincre enfin les résis-
tances du public français.

**Hergé parle
de son art**

Soucieux
de rigueur
et de fluidité
dans la narration,
Hergé soulignait
que « *la grande
difficulté
dans la bande
dessinée,
c'est de montrer
exactement
ce qui est
nécessaire
et suffisant
pour l'intelligence
du récit :
rien de plus,
rien de moins* ».

Reporter au *Petit Vingtième*

Comme Zig et Puce, Tintin sera un adolescent libre de toute attache familiale. Avec son chien Milou, il est envoyé en reportage par le *Petit Vingtième*. Hergé est le responsable de ce supplément pour la jeunesse du quotidien catholique conservateur *Le Vingtième Siècle*. Ce sédentaire voyage par procuration, envoyant son héros en Russie soviétique, au Congo, en Amérique, puis en Extrême-Orient. Les progrès du dessinateur sont foudroyants : il livre en 1934 son premier chef-d'œuvre, *Le Lotus bleu*.

Le génie d'un auteur

Hergé porte à son point de perfection un style graphique (la fameuse «ligne claire») d'une lisibilité extrême, et qui se fait oublier pour donner l'illusion de la réalité. Il parvient à un équilibre parfait entre le texte et le dessin. Il construit des scénarios amples (découpés parfois en deux albums* de 62 planches*), où il parvient à concilier la tension dramatique et le suspense avec l'humour. Il réunit autour de Tintin une «famille» de personnages pittoresques, acteurs d'une comédie humaine que domine la magnifique figure du capitaine Haddock.

> **Le temps de la propagande**
> Le 10 janvier 1929, Tintin prend le train pour le « pays des Soviets ». Épousant les idées de son patron, l'abbé Wallez, Hergé s'inspire du livre *Moscou sans voiles*, un pamphlet antisoviétique publié par l'ex-consul belge Joseph Douillet.

Une œuvre universelle

Publiées d'abord en noir et blanc, puis en couleurs à partir de 1942, les aventures de Tintin ont été traduites dans le monde entier. Des objets comme la boîte de crabe aux pinces d'or, le fétiche arumbaya ou la fusée lunaire à damier rouge et blanc sont entrés dans l'imaginaire collectif. Philosophes, sémiologues, historiens, psychanalystes multiplient les dissertations savantes sur une œuvre qui semble contenir et résumer son siècle.

> Le 3 mars 1983, la mort d'Hergé mettait un point final à une série de 23 albums. Épisode inachevé, *Tintin et l'Alph-Art* paraît en 1986.

Les générations d'illustrés

**Tout au long du XXe siècle, chaque
génération de lecteurs aura ses « illustrés »
et se passionnera pour des personnages
à l'image de son époque.**

Anaïk Labornez, dite Bécassine

L'éditeur Arthème Fayard ouvre le bal
avec *Le Bon Vivant* (1899), *La Jeunesse
illustrée* et *Les Belles Images* (1904).
Il publie notamment Benjamin
Rabier (1869-1939).

C'est en 1905 qu'apparaît
Bécassine, dessinée par Joseph
Pinchon (1871-1953) dans
La Semaine de Suzette. Au service de la marquise de Grand-
Air, la petite servante pas très
futée vivra le déclin de l'aristo-
cratie. Tout différents sont
Ribouldingue, Croquignol et
Filochard, les fameux *Pieds
nickelés* de Louis Forton
(1879-1934), vedettes de
L'Épatant à partir de 1908.
Les exploits de ces sym-
pathiques filous s'adres-
sent aux lecteurs des
couches plus popu-
laires.

Mickey débarque !

Le lancement du *Journal de Mickey* par
Paul Winkler fait, en 1934, l'effet
d'un coup de tonnerre dans la presse
illustrée. Les Français découvrent non

DOMAINE FRANÇAIS | COMICS | AUJOURD'HUI

seulement les BD Disney, mais les meilleurs *comics* américains, plus vivants, plus modernes et plus diversifiés que la production française, encore bien timide. Bientôt paraissent *Jumbo, Hurrah, Robinson, L'Aventureux, Hop-là!* et d'autres titres où la BD étrangère (américaine surtout, mais aussi parfois italienne, anglaise voire yougoslave) se taille la part du lion. Hachette publie *Bicot, Félix le chat* et *Mickey* en albums*.

À double tranchant
La loi de 1949, toujours en vigueur, entendait à la fois moraliser la presse enfantine et freiner l'importation des BD étrangères.

Les journaux de l'après-guerre

La guerre réduit ces journaux au silence en 1942. Vica publie des albums collaborationnistes, et l'idéologie nazie inspire *Le Téméraire*. Edmond François Calvo transpose brillamment le conflit dans le règne animal: c'est *La bête est morte* (1944-1945). *Coq hardi*, animé par Marijac, et *Vaillant*, publié par le Parti communiste français, naissent de la Résistance. *Vaillant* publiera de grandes séries d'aventures, comme *Les Pionniers de l'espérance* de Poïvet et Lécureux – et plus tard (en 1970) *Corto Maltese* d'Hugo Pratt. La presse catholique (*Bayard, Cœurs vaillants*) complète l'offre d'une presse bientôt soumise à la loi du 16 juillet 1949 sur les publications destinées à la jeunesse.

La presse populaire
Après la guerre, les jeunes Français lisaient aussi beaucoup de BD en fascicules (les récits complets, tels *Fantax* de Chott ou *Vigor* de Giordan) et de pockets dits « de gare », souvent d'origine italienne (*Akim* ou *Blek*).

Tintin et Spirou

Les meilleurs journaux de BD européens des années 1950-1960 sont les deux hebdomadaires belges *Spirou* (lancé dès 1938) et *Tintin* (1946). Le premier cultive l'humour et la fantaisie, le second préfère l'aventure dramatique. Jijé (*Valhardi, Jerry Spring*), Franquin (*Spirou et Fantasio, Gaston*), Tillieux, Peyo, Morris, Roba et Will font les riches heures de *Spirou*; Edgar P. Jacobs (*Blake et Mortimer*), Jacques Martin (*Alix*) et Paul Cuvelier (*Corentin*) celles de *Tintin*.

Soumise à la concurrence américaine, puis belge, insuffisamment soutenue par une politique d'albums presque inexistante, la bande dessinée française devra attendre la fin des années soixante pour pleinement s'épanouir.

Les années *Pilote*

Pilote incarne une rupture dans l'histoire de la presse illustrée, et cristallise l'émergence d'une bande dessinée pour adultes. À la fin des années 1960, il atteint une qualité exceptionnelle.

Le journal d'Astérix

Lancé en 1959 avec le soutien de Radio-Luxembourg, l'hebdomadaire *Pilote* est initialement assez fidèle au « modèle belge ». René Goscinny, qui en deviendra bientôt le directeur, y rassemble progressivement les séries à succès dont il est le scénariste: *Lucky Luke*, dessiné par Morris, *Iznogoud* avec Tabary, et bien sûr *Astérix*, qu'il crée avec Albert Uderzo dans le premier numéro de *Pilote*. L'irréductible Gaulois et son copain Obélix suscitent vite un formidable engouement. À partir de 1965, chaque nouvel album* de cette série culte sera un événement éditorial. Différents niveaux de lecture permettent aux enfants et à leurs parents de l'apprécier.

Vignette extraite de *La Galère d'Obélix* – Goscinny et Uderzo © 1996 Les Éditions Albert René – Goscinny – Uderzo.

Un sommaire de rêve

À côté d'un classique comme le *Barbe-Rouge* de Charlier et Hubinon, *Valérian agent spatio-temporel* de Christin et Mézières incarne, avec le *Lieutenant Blueberry* de Charlier et Giraud, un renouveau du concept d'aventure, en dépassant le manichéisme traditionnel.

D'autres personnages mémorables sont ceux de *Philémon* de Fred, *Achille Talon* de Greg, le *Concombre masqué* de Mandryka, *le Grand Duduche* de Cabu ou encore *Lone Sloane* de Druillet. Gotlib, Bretécher, Reiser, Alexis sont aussi de la fête, et plus tard Bilal, F'Murr, Tardi et Régis Franc.

L'esprit de 1968

Les lecteurs de *Pilote* grandissent et l'hebdo «qui s'amuse à réfléchir» répond aux préoccupations des étudiants et des jeunes adultes. Avec le renfort de transfuges d'*Hara-Kiri* et de *Charlie Hebdo*, il commente l'actualité, caricature les stars (les *Grandes Gueules*), fait souffler un vent d'antimilitarisme (*Le Sergent Laterreur* de Touïs et Frydman).

La *Rubrique-à-brac* de Gotlib, avec sa   liberté de ton et de sujets, contribue fortement à imposer l'idée d'une bande dessinée d'auteur. Entre 1968 et 1972, *Pilote* marque vraiment son époque.

La BD sur plusieurs fronts

D'autres journaux contribuent à l'évolution de la presse illustrée. Outre *Hara-Kiri* déjà cité (1960), l'éphémère *Chouchou* voit naître les *Naufragés du temps* de Forest et Gillon, tandis que le même Jean-Claude Forest donne vie à *Barbarella* dans *V-Magazine* en 1962. En 1968, un film de Roger Vadim avec Jane Fonda consacrera la gloire de cette héroïne «libérée».

L'éditeur Éric Losfeld, de son côté, publie directement en albums plusieurs bandes dessinées pour adultes signées Cuvelier et Van Hamme (*Epoxy*), Nicolas Devil (*Saga de Xam*), Guido Crepax (*Valentina*) ou encore Guy Peellaert (*Jodelle, Pravda la survireuse*).

Dans les quotidiens
Les adultes découvrent aussi la bande dessinée dans la presse quotidienne. *France-Soir,* **en particulier, accueille plusieurs créations, dont** *Arabelle la dernière sirène* **de Jean Ache (1950) ou** *13 rue de l'espoir* **dessiné par Paul Gillon.**

Le social, le politique et le sexuel gagnent droit de cité dans la bande dessinée, qui élargit son public au moment où le « 9e art » est aussi culturellement relégitimé.

La presse adulte

Les mensuels ou trimestriels de BD pour adultes se multiplient dans les années 1970. Cette « nouvelle presse » autorise toutes les expériences et met le genre en effervescence.

L'éclectisme intelligent de *Charlie*

Dès 1969, le mensuel *Charlie* affiche sa différence en faisant le choix du noir et blanc. Son sommaire concilie les meilleurs *comic strips** américains (de *Peanuts* à *Li'l Abner*) avec les grands maîtres étrangers de la BD moderne (Crepax, Buzzelli, Jacovitti, Breccia, Muñoz) sans négliger les jeunes talents français. Sous la direction avisée de Wolinski, *Charlie* révèle notamment Francis Masse, véritable génie de l'absurde, Alex Barbier et les frères Varenne (*Ardeur*)…

L'Écho des savanes

Trois stars de *Pilote* quittent le journal de Goscinny pour fonder, en 1972, *L'Écho des savanes*. Gotlib, Bretécher et Mandryka y cultivent une expression plus personnelle et quelquefois provocatrice. Le scandale n'est pas étranger au succès foudroyant de *L'Écho*. Pour la première fois, une revue de BD porte la mention « réservé aux adultes ». Cet exemple sera imité : en 1975, Druillet et Moebius fondent, avec le jeune scénariste Jean-Pierre Dionnet, *Métal Hurlant*.

Métal Hurlant

Ce titre, nourri de culture rock, de science-fiction et d'esthétisme décalé incarnera mieux qu'aucun autre la fin de cette décennie.

C'est dans ses pages que l'on découvrira Jano, Margerin, Yves Chaland, François Schuiten, Michel Crespin et bien d'autres. Moebius s'y affirme comme un auteur visionnaire et libère l'imaginaire avec *Arzach* puis *Le Garage hermétique de Jerry Cornelius*.

Dessinatrice et star

Depuis 1973, Claire Bretécher a rejoint les pages du *Nouvel Observateur* où, des *Frustrés* à *Agrippine*, elle n'a cessé de tendre un miroir sans complaisance à ses contemporains.

Le jeune Chaland

Mort accidentellement à l'âge de 33 ans, Yves Chaland (1957-1990) était un extraordinaire pasticheur doublé d'un humoriste grave. *Le Jeune Albert* reste son œuvre la plus personnelle.

À *Suivre* – n° 225 –
© Casterman.

Le mouvement s'accélère

Laissant Mandryka aux commandes de *L'Écho*, Gotlib fonde un mensuel d'humour, *Fluide glacial*, où s'imposeront les talents de Binet, Lelong, Goossens et Edika. Beaucoup d'autres titres (*Mormoil*, *Tousse Bourin*, *Imagine…*) sont éphémères. Jacques Glénat lance le plus conventionnel *Circus* avant que Casterman, en 1978, n'entre en lice avec *(À Suivre)*.

Fanzines et petite presse

Les fans se mettent aussi à publier quantité de petits journaux amateurs (les «fanzines»), qui se partagent entre le commentaire et la création. Nombre de dessinateurs devenus professionnels y ont fait leurs premières armes. Certains titres sont devenus des institutions, comme *Hop!*, *Le Collectionneur de bandes dessinées*, *PLG* ou *Sapristi*. Des revues de création ambitieuses renaissent depuis le début des années 1990 chez les nouveaux éditeurs indépendants: elles ont pour titres *Jade*, *Lapin* ou *Le Cheval sans tête*.

L'explosion de la BD pour adultes tend à reléguer dans l'ombre la BD enfantine traditionnelle. Les nouveaux talents sont attirés par cette presse plus libre, tandis que la création pour enfants se renouvelle plus difficilement.

Des albums pour toutes les saisons

Le nombre d'albums croît très rapidement à la fin des années 1970. Le livre supplante la presse comme support de référence de la bande dessinée.

Une production pléthorique

Portés par un marché euphorique, les éditeurs de journaux se mettent à éditer beaucoup plus d'albums* que par le passé. Au début des années 1980, jusqu'à 600 nouveautés paraîtront chaque année en langue française. Plus de 30 millions d'exemplaires seront vendus en 1983, année record. Les éditeurs structurent leur catalogue en collections, selon le genre ou le public visé.

Les librairies spécialisées

C'est peu avant 1970 que les premières librairies de BD ont ouvert leurs portes à Paris. Quinze ans plus tard, un réseau de près de 150 librairies couvre la France. Ces spécialistes entretiennent le fonds, permettent aux petits éditeurs d'écouler des titres plus pointus, à tirage souvent limité, et encouragent le développement de produits satisfaisant les bibliophiles (sérigraphies*, ex-libris, portfolios*, tirages de tête*). Exposés à une concurrence croissante des Fnac et des hypermarchés, ils ne résisteront qu'en s'ouvrant aux objets dérivés, puis aux mangas*.

Ceux qui écrivent

Les scénaristes à succès des années 1990 sont Jean Van Hamme (*Thorgal*, *XIII*, *Largo Winch*…), Raoul Cauvin (une foule de séries chez Dupuis) et dans une moindre mesure Alexandro Jodorowsky, révélé par sa collaboration avec Moebius (*L'Incal*).

L'aventure Futuropolis

L'une des premières librairies spécialisées, Futuropolis, se lance dans l'édition en 1974. Animée par Étienne

Robial et Florence Cestac, Futuropolis ne publiera que des albums et presque exclusivement en noir et blanc.

À côté d'exhumations importantes (classiques français comme Calvo ou Giffey, classiques américains dans la collection «Copyright»), paraîtront des œuvres importantes de Tardi, Swarte, Götting, Baudoin et beaucoup d'autres. Au nom de Futuropolis se trouve bientôt associée une image de qualité, d'exigence, d'austérité et de refus des compromis commerciaux.

Le règne de l'album

Devenues de simples catalogues de prépublication, les revues seront les premières victimes de la surproduction d'albums. À la fin des années 1980 disparaissent de nombreux titres (*Pilote*, *Métal Hurlant*, *Tintin*, *Circus*, etc.).

Une majorité d'albums proposent désormais des œuvres inédites, qui ne sont pas passées dans la presse. On observe un certain tassement du marché, malgré des tentatives louables pour redynamiser la création enfantine. Les genres les plus en vogue sont l'humour, le fantastique et la science-fiction, mais aussi la BD historique, popularisée par *Les Passagers du vent* de Bourgeon et par *Les 7 Vies de l'épervier* de Juillard et Cothias.

L'État aide la BD
Au Centre national du livre, une «commission bandes dessinées» accorde des aides à l'édition et des bourses à certains créateurs.

La bande dessinée, qui depuis le début du siècle était avant tout un phénomène de presse, est redevenue ce qu'elle était à l'origine : un produit de librairie.

Naissance des *funnies*

La bande dessinée fait son apparition dans la presse quotidienne américaine dans les dernières années du xixe siècle et devient ainsi un moyen de communication de masse.

La guerre des journaux

À l'exemple des Anglais, les caricaturistes américains utilisent la bulle* depuis des décennies lorsqu'ils commencent à produire des séquences à vignettes multiples. Elles se multiplient dans les journaux humoristiques tels que *Puck*, *Life* ou *Judge* dès les années 1880. Le dessinateur A. B. Frost fixe bon nombre de canons du dessin humoristique. La rivalité entre William Randolph Hearst et Joseph Pulitzer, à l'affût de tout ce qui peut doper les ventes de leurs journaux respectifs, va favoriser l'apparition de la BD dans la presse quotidienne. Le *Yellow Kid* de Richard F. Outcault (1895-1896) ne fut pour ainsi dire jamais une bande dessinée à proprement parler, mais trouva le succès en imposant la présence d'un personnage récurrent. Dès 1897, les *Katzenjammer Kids* de Rudolph Dirks (Pim Pam Poum) réunissent toutes les caractéristiques de la BD moderne.

Dailies et sundays

En peu d'années, chaque journal crée un supplément dominical, imprimé au moins partiellement en couleurs, qui propose un choix de bandes dessinées (qu'on appelle alors indifféremment *comics* ou *funnies*). À ces épisodes du dimanche (les «*sunday pages*», en abrégé *sundays*) s'ajouteront dix ans après les bandes quotidiennes, en noir et blanc, qui paraissent en pages intérieures du lundi au samedi (les «*daily strips*», ou *dailies*). Cette formule est inaugurée par Bud Fisher en 1907 avec *Mutt and Jeff*, une série dont le héros, Augustus Mutt, est obsédé par les courses de chevaux. Les dessinateurs sont bientôt sous contrat avec des agences, les *syndicates*, qui distribuent leur création à travers tous les États-Unis.

Vagabondage
Avec *Happy Hooligan*, Frederick B. Opper (1857-1937) crée en 1900 un antihéros proche des personnages du cinéma burlesque. Ce clochard philosophe a pour couvre-chef une boîte de conserve.

Une gueule de marin

Elsie C. Segar (1894-1938) introduit le personnage de Popeye en 1929 dans une série qu'il anime déjà depuis dix ans sous le titre *The Thimble Theater*. Première réplique du célèbre marin : « *Est-ce que j'ai une gueule de cow-boy ?* »

Popeye © KFS Distribué par RMP, Paris.

Quelques thématiques

Les enfants sont nombreux parmi les héros de cette époque. Hans et Fritz, les Kids de Dirks, auront pour rivaux Buster Brown de Outcault (1902), Little Jimmy de James Swinnerton (1904) ou encore Bicot de Martin Branner (1920). Ce dernier n'est en réalité que le petit frère de l'héroïne en titre, Winnie Winkle. Les jeunes filles à marier (telle Polly dans l'éblouissant *Polly and her pals* de Cliff Sterrett), et les démêlés conjugaux (*Bringing up father* de George McManus, ou *Blondie* de Chic Young) inspirent aussi les dessinateurs, de même que le monde du sport.

Le *non-sense*

L'humour absurde et loufoque est partagé par de nombreux auteurs, tels Milt Gross, Bill Holman ou encore Rube Goldberg. Ce dernier se plaisait notamment à inventer d'étranges machines, bricolages compliqués et parfaitement inutiles, qui inspireront de nombreux dessinateurs sur tous les continents.

La BD américaine atteint rapidement une qualité exceptionnelle. Paraissant dans la presse quotidienne, elle touche aussi bien les adultes que les enfants.

Territoires du rêve

À côté de l'humour, le merveilleux, la féerie et le fantastique inspireront l'autre tendance majeure des *comics* de la première génération.

Nemo au pays des songes

Chef-d'œuvre universellement reconnu, *Little Nemo in Slumberland* fait son apparition en 1905. Winsor McCay prête les traits de son fils à son « Petit Personne » qui, chaque nuit, rêve qu'il est appelé par la princesse du Slumberland, la fille du dieu Morphée, et qui se réveille inéluctablement dans la dernière case.

Derrière un titre qui fait écho à *Alice in Wonderland* (*Alice's Adventures*) de Lewis Carroll, McCay déploie toute sa science graphique, sa fantaisie visionnaire, son inventivité en matière de mise en page*.

L'école du *Herald*

Little Nemo est, avec Buster Brown, l'une des vedettes du supplément BD du *New York Herald*. Ce journal emploie deux autres dessinateurs remarquables. Futur peintre de renommée internationale, Lyonel Feininger livre deux superbes bandes dessinées en 1906-1907 : *The Kin-der-Kids,* puis *Wee Willie Winkie's World*.

La carrière de Gustave Verbeck sera plus longue et lui permettra de créer notamment *The Terrors of the Tiny Tads* (où il se sert de mots-valise pour forger des espèces animales imaginaires) ainsi que les célèbres Upside-Downs. Cette série compte 64 pages qui doivent se lire à l'endroit puis à l'envers, tous les dessins étant réversibles et comportant deux légendes.

Permanence du merveilleux

On peut rattacher à la postérité de cette «école du *Herald*» une série comme *Barnaby*, de Crockett Johnson (1942). Ce petit garçon n'arrive pas à convaincre ses parents de l'existence de compagnons fantomatiques tel que son parrain-fée gaffeur, Mr O'Malley, dont le cigare tient lieu de baguette magique. Plus récemment, l'excellente série *Calvin and Hobbes* (1985) de Bill Watterson relatait les jeux d'un petit garçon et de son tigre, animal vivant quand il est vu à travers les yeux de l'enfant et simple peluche pour son entourage.

Le rêve épique

L'imaginaire conquiert de nouveaux territoires en 1929, année qui voit la création de *Buck Rogers* et l'adaptation en bande dessinée de *Tarzan*. Dessiné par Dick Calkins sur un scénario de Philip Nowlan, Buck Rogers est le nom d'un aviateur qui se réveille au XXVe siècle : il s'agit de la première BD de science-fiction. Quant au «seigneur de la jungle» Tarzan, né sous la plume du romancier Edgar Rice Burroughs, il avait inspiré le cinéma dès 1918. Harold Foster s'en fait avec talent l'illustrateur, avant de passer le relais à Burne Hogarth, dont la version baroque et flamboyante fera date.

Le petit monarque
Dans *The Little King* (1931) d'Otto Soglow, le souverain a le don de transformer la vie de cour et les déambulations dans son château en saynètes marquées du sceau de l'absurde.

Les *comics* se plaisent à décrire des situations très quotidiennes qui renvoient les lecteurs à leur propre vie, mais ils savent aussi les dépayser en inventant des mondes parallèles et des personnages fabuleux.

ART DE LA BD | PHÉNOMÈNE BD | APPROFONDIR

Le temps des aventuriers

Influencée par Hollywood et par les *pulps,
la bande dessinée américaine s'ouvre
à des récits d'action, qu'un graphisme
plus réaliste contribue à dramatiser.**

**Du côté
du Far West**
Le western
est un autre
genre populaire,
avec notamment
Red Ryder
de Fred Harman
et *The Lone Ranger*
de Charles
Flanders.
Warren Tufts
s'impose comme
un spécialiste
du genre, illustrant
notamment *Casey
Ruggles* et *Zorro*.

Gros plans et gros bras

Dès avant *Tarzan*, la série *Wash Tubbs* (1924; rebaptisée
plus tard *Captain Easy*) avait ouvert la voie. Son créateur,
Roy Crane, doit notamment être crédité pour avoir
introduit dans les *comics* l'usage du gros plan. Quant à
Harold Foster, après avoir abandonné l'homme-singe
il créera en 1937 *Prince Valiant*, majestueuse épopée de
chevalerie déroulant ses fastes à la cour du roi Arthur.
Son style académique et sa minutie descriptive font
merveille dans l'évocation des batailles comme dans
les scènes plus intimes (en effet, le héros se marie,
a des enfants, etc.).

Le cas Alex Raymond

Au cours de la seule année 1934, Alex Raymond
(1909-1956), dessinateur inconnu jusque-là, crée trois
séries qui deviendront toutes des classiques. *Flash Gordon*
(en France *Guy l'Éclair*), avec sa fusée, ses monstres,
son tyran (l'empereur Ming) et sa pulpeuse héroïne
(Dale Arden) s'impose comme l'archétype du *space
opera**.

L'explorateur Jungle Jim («Jim-la-Jungle») s'attaque à tous les trafics dans une nature exotique, tandis que l'*Agent secret X-9*, imaginé par le romancier Dashiell Hammett, fait le coup de poing dans les bas-fonds urbains.

Flash Gordon a été conçu pour concurrencer *Brick Bradford* de William Ritt et Clarence Gray (1933), et *Jungle Jim* pour rivaliser avec *Tim Tyler's Luck* (*Raoul et Gaston*, 1928) de Lyman Young.

Les déclinaisons du polar

Chester Gould avait, pour sa part, introduit le polar musclé dans la BD avec son détective *Dick Tracy* (1931). Un graphisme rude, à tendance expressionniste, et une formidable galerie de méchants (au physique souvent monstrueux) et de seconds rôles assureront le succès de l'œuvre. Alex Raymond cultivera une autre forme de récit policier en 1946 avec *Rip Kirby*, détective athlétique mais plus cérébral, digne émule de Sherlock Holmes. Le maître du polar parodique sera Will Eisner, dont le prodigieux *Spirit* date de 1940.

Milton Caniff

Celui qui sera parfois qualifié de «Rembrandt de la BD» pour sa maîtrise du clair-obscur lance *Terry et les pirates* en 1934. Le jeune Américain parcourt les mers lointaines en compagnie de son tuteur Pat Ryan, et croise quelques mémorables femmes fatales. Fleuron de l'«*adventure strip*», cette série vaut par ses qualités graphiques exceptionnelles mais aussi par la force des scénarios qui, chose rare à cette époque, ne dédaignent pas d'approfondir la psychologie des personnages. Caniff crée l'aviateur Steve Canyon en 1947. Son disciple Frank Robbins préside aux destinées d'un autre aviateur, Johnny Hazard, depuis 1944.

En déclinant l'aventure sous toutes ses formes, les *comics* ont donné naissance à une pléiade de héros sans peur ni reproche, luttant sur tous les continents contre des vilains de tout poil, et, pour certains, contre les nazis en 1939-1945.

De *Superman* à *Watchmen*

Aussi vieux que l'humanité, le mythe du surhomme trouve dans la BD un terrain d'élection. Des héros dotés de pouvoirs surhumains y affronteront des adversaires tout aussi redoutables.

Naissance de l'homme d'acier

La BD américaine se dote dans les années 1930 d'un nouveau support autonome : le *comic book**. Superman, né de l'imagination de deux anciens camarades d'études, Jerry Siegel et Joe Shuster, apparaît dans le premier numéro d'*Action Comics* en juin 1938. Dès l'année suivante, le champion d'origine extraterrestre (il vient de la planète Krypton) a son propre *comic book**, vendu à 1 250 000 exemplaires ! Les superhéros vont très vite se multiplier et éclipser la plupart des autres genres.

Le principe de double identité

Tous les superhéros, cependant, ne sont pas dotés de pouvoirs surhumains. Certains sont des hommes normaux qui, par un entraînement spécial, ont développé au maximum certaines facultés. Créé en 1939 par Bob Kane et Bill Finger, Batman en fait partie. Play-boy millionnaire le jour, il endosse son costume de chauve-souris la nuit, et fait régner la justice dans les rues de Gotham City. Superman aussi a une double identité : même sa future fiancée Loïs Lane ignorera longtemps qu'il n'est autre que son collègue, le pâle journaliste Clark Kent.

Les champions de l'Amérique

L'apparition des superhéros coïncide avec le moment où l'Amérique se relève de la crise économique des années 1930 et voit monter le péril d'une guerre mondiale. Les superhéros doivent redonner confiance aux Américains dans leur capacité à surmonter les périls intérieurs et extérieurs. Le costume de Captain America (1941)

« *De Hercule à Siegfried, de Roland à Pantagruel en passant par Peter Pan, le héros doué de pouvoirs supérieurs à ceux du commun des mortels est une constante de l'imagination populaire.* »
Umberto Eco

Le souci d'expliquer
Les superpouvoirs ont toujours une explication : origine extra-terrestre ou divine, magie, radiations cosmiques, accident de laboratoire, etc.

Watchmen – (Les Gardiens) – tome 3 –
Alan Moore, Dave Gibbons
© DC Comics, Inc 1986
© 1988 Éditions Zenda.

est taillé dans la bannière étoilée. Les superhéros les plus populaires se regroupent pour travailler en équipes : la *Justice Society of America* réunit dès les années 1940 *The Flash*, *Hawkman*, *Green Lantern*, *Wonder Woman*, etc.

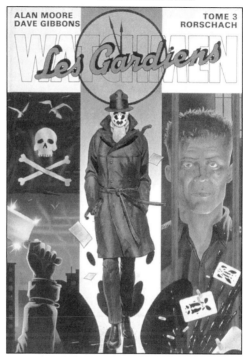

« Qui nous gardera de nos gardiens ? »

Cette citation de Juvénal scande les 336 planches du chef-d'œuvre d'Alan Moore et Dave Gibbons *Watchmen* (*Les Gardiens*, 1986-1987). Sur fond de conflit nucléaire, ces deux auteurs britanniques revisitent l'histoire politique récente et proposent un formidable thriller paranoïaque, où ils s'interrogent sur les véritables motivations des justiciers masqués.

Le roi Kirby

Déjà créateur de *Captain America* avec Joe Simon, Jack Kirby revitalisera un genre en perte de vitesse au début des années 1960. Associé au scénariste Stan Lee, il multiplie alors les créations : *The Fantastic Four* (*Les Quatre Fantastiques*), *Thor*, *The Hulk*, *X-Men*, etc. Kirby devient le dessinateur vedette de la Marvel, le plus important éditeur de *comic books*. On le surnomme « the King of comics » et son style puissant et spectaculaire fait école.

> Dans les histoires de superhéros, l'éternel combat entre le Bien et le Mal prend la forme d'un duel de titans.

Les *comix underground*

La satire a aussi droit de cité dans les *comic books*. Après 1965, la jeunesse américaine, qui rejette la culture officielle, donne naissance à une bande dessinée libertaire et provocatrice.

Dans les marais d'Okefenokee

C'est là, au cœur de la Géorgie, que vivent Pogo l'opossum et ses amis, Albert l'alligator, Howlan' Owl le hibou,

Churchy-la-Femme (une tortue), etc. Walt Kelly, qui a fait ses classes chez Disney, leur a donné vie en 1941 dans les *comic books**, mais c'est la série quotidienne qui décrochera le succès à partir de 1948. Œuvre d'une grande richesse, *Pogo* conjugue la satire poétique et sociale avec la poésie, les références littéraires et de multiples jeux sur les codes de la bande dessinée. C'est, après *Krazy Kat*, l'une des premières BD réputées intellectuelles. Des personnalités du monde politique y sont occasionnellement prises à partie.

La bande à Kurtzman

Les psychédéliques
Certains artistes
underground
comme Victor
Moscoso ou Rick
Griffin développent
un style plus
esthétisant
que contestataire,
et font une carrière
importante
dans l'illustration.

La firme EC (pour «Educational Comics») se rebaptise «Entertaining Comics» en 1950. Aux côtés de *comic books* de guerre et de science-fiction, elle lance une ligne de récits de terreur particulièrement horrifiques. Victimes d'une campagne de presse, ces titres se saborderont en 1954. Mais le même éditeur a entre-temps donné naissance à *Mad*. Sous la direction d'Harvey Kurtzman, Bill Elder, Jack Davis, Wallace Wood et d'autres dessinateurs de premier plan vont en faire le plus grand magazine d'humour et s'attaquer à tous les tabous de la société américaine.

*Ci-contre et
page de gauche :*
**Howlan'Owl,
le hibou
de Walt Kelly.**

Scandale à San Francisco

Le mouvement *underground* se développe sur la côte Ouest à partir de 1966. Les «hippies» prônent la légalisation de la drogue et une grande partie de la jeunesse s'oppose à l'engagement américain au Vietnam. Dans ce contexte, de jeunes dessinateurs (les enfants de *Mad*) créent leurs propres «*comics*», vendus d'abord à la criée, où ils s'adonnent à toutes les provocations, rompant avec le «bon goût» de la BD traditionnelle. Le sexe, l'écologie, la politique, la dope et la musique sont les thèmes de prédilection de Robert Crumb (*Fritz the Cat*, *Mister Natural*), Gilbert Shelton (*The Freak Brothers*), Vaughn Bodé, Spain Rodriguez, Kim Deitch, etc.

Underground pas mort

Contrairement à ce qui est souvent prétendu, ce mouvement ne s'est pas éteint, même si ses principaux animateurs se sont assagis. Des éditeurs importants, comme Denis Kitchen, en sont issus, et nombre de dessinatrices sont venues à la BD par le biais de l'*underground*. L'homosexualité a cessé d'être un sujet tabou. Crumb et Spiegelman ont animé des revues remarquables (*Weirdo* et *Raw*), tout en poursuivant leur œuvre personnelle. En France, en Hollande, en Espagne, l'influence de l'*underground* a profondément contribué à libérer l'expression.

Mort d'un chat
Crumb
a désavoué
le dessin animé
réalisé par
Ralph Bakshi
en 1972, qui
popularisa *Fritz
the Cat*. Il tua
aussitôt son
héros dans une
histoire intitulée
*Fritz the Cat
superstar*.

> Un vent de liberté
> souffle sur
> la bande dessinée
> américaine.
> Le refus
> des valeurs
> traditionnelles
> donne naissance
> à des œuvres
> où l'expression
> personnelle
> atteint souvent
> une grande force.

À l'heure des mangas

Longtemps restés à l'écart de l'histoire officielle de la bande dessinée, et inconnus des lecteurs occidentaux, les mangas (BD japonaises) ont effectué, au tournant des années 1990, une percée spectaculaire sur le marché américain puis européen.

D'où vient le terme ?
Le terme « manga » a été forgé au XIXe siècle par le grand artiste Katsuhika Hokusaï. On peut le traduire par « image dérisoire » ou « image irresponsable ». Il désigne à la fois la BD, le dessin de presse et le cinéma d'animation. Les dessinateurs sont des mangaka.

Ci-contre :
Akira de Katsuhiro Otomo et couverture de l'album (*page de droite*).

L'empire de la BD

Née au début du siècle, la bande dessinée japonaise a pris son essor après la Seconde Guerre mondiale. Le principal artisan de son succès est Osamu Tezuka (1926-1989), appelé plus tard « le dieu de la BD ». Son œuvre est gigantesque ; on en retiendra surtout *Tetsuwan Atomu* (alias *Astro Boy*), *Jungle Tatei* (*Le Roi Léo*) et *Hi no Tori* (*L'Oiseau de feu*). D'abord humoristique, la bande dessinée se fait plus réaliste avec l'apparition du genre « gekiga » à la fin des années 1950. Éditées sous forme d'albums* de petit format et en noir et blanc, les séries sont prépubliées dans des hebdomadaires pour garçons, pour filles ou pour adultes. Le plus fort tirage est celui de *Shukaï Shônen Jump*, lancé en 1968 ; il dépasse aujourd'hui les six millions d'exemplaires.

Akira – n° 14 – « Consécration » –
Katsuhiro Otomo © 1993
MASH-ROOM Co, Ltd –
© Éditions Glénat 1996.

Une autre bande dessinée ?

La production de mangas, qui obéit à un rythme industriel (avec ses assistants, un dessinateur livre au minimum vingt pages par mois), est très diversifiée. La science-fiction, le gangstérisme, le sport, l'histoire, la nature, la vie au lycée ou en entreprise, l'amour (romantique ou plus pimenté) fournissent les thèmes principaux, mais aucun sujet n'est ignoré. La narration est très découpée, les scènes beaucoup plus étirées que dans la tradition franco-belge ou américaine. Les lignes suggérant le mouvement, les onomatopées* omniprésentes, la mise en page* parfois éclatée, les répétitions de détails composent une esthétique qui privilégie l'impact visuel.

Le phénomène manga en France

La traduction d'*Akira*, grand récit de SF postapocalyptique de Katsuhiro Otomo, donne en 1990 le coup d'envoi à une vague de traductions, qui s'accélère notablement en 1995-1996. Le phénomène concerne des maisons traditionnelles comme Glénat (pionnier et leader en ce domaine), Casterman ou J'ai Lu, ainsi que des petits éditeurs spécialisés comme Tonkam ou Samouraï. Librairies spécialisées et boutiques de jeux vidéo proposent des mangas en version française et originale, ainsi que les cassettes vidéo, CD, jeux et produits de papeterie qui en dérivent, à une clientèle âgée de huit à vingt-cinq ans.

Quelques titres à retenir

Outre *Akira*, les lecteurs français ont surtout plébiscité les œuvres de Masamune Shirow (*Appleseed*), Ryoichi Ikegami (*Crying Freeman*) et Akira Toriyama (*Dragon Ball, Dr Slump*). Les aventures de Gon le petit dinosaure par Masahi Tanaka, la vie du moine Ikkyû par Hisashi Sakaguchi, ou encore les déambulations de *L'Homme qui marche* par Jiro Taniguchi méritent aussi leur attention.

L'univers des mangas est devenu une culture d'emprunt pour une partie de la jeunesse française, convertie par les séries télévisées. Les adolescents affirment ainsi leur différence. Manquant de références, leurs aînés répondent souvent par une hostilité de principe.

Couleur directe

Depuis une quinzaine d'années, les bandes dessinées ont tendance à devenir des bandes «peintes». Un changement de technique a conduit à une nouvelle conception de l'image, plus picturale.

La tradition du coloriage

Héritière de la caricature, la bande dessinée a longtemps privilégié le trait de contour. Esquissé au crayon, puis repassé à l'encre de Chine, le dessin restait en noir et blanc sur la planche originale. Le dessinateur réalisait – ou faisait exécuter par un(e) coloriste – la mise en couleurs sur une épreuve séparée, déjà réduite au format de parution, que l'on nomme un «bleu». La couleur, le plus souvent en aplat, venait remplir des formes bien cernées, sur le mode du coloriage.

Nouvelles aventures de la couleur

Quelques œuvres directement peintes sur les originaux avaient paru dès les années 1950 et 1960 en Angleterre (*Dan Dare* de Frank Hampson) et aux États-Unis (*Little Anny Fanny* de Harvey Kurtzman et Bill Elder). En France, le premier album* réalisé en «couleur directe» fut *Arzach*, de Moebius (1975). La technique se répandit rapidement, surtout dans les pages de *Métal Hurlant* où Nicollet, Jeronaton et Schuiten, notamment,

Pleins feux
À propos de *Feux* (1986), Mattotti exprima un regret : «*Si j'avais été au bout de moi-même, j'aurais dû avoir le culot de faire une histoire sur la lumière ou le changement de lumière…*»

Sous l'œil des peintres
Les adeptes de la couleur directe citent volontiers les grands peintres. On trouve des clins d'œil à Bacon chez Barbier, des hommages à Hockney ou Matisse chez Loustal, à Hopper et à Bonnard chez Mattotti.

DOMAINE FRANÇAIS   COMICS   AUJOURD'

l'utilisèrent. Enki Bilal et Jacques de Loustal furent bientôt les chefs de file de cette nouvelle école.

À chacun sa palette

Certains dessinateurs, tels Bilal (*La Trilogie Nikopol*) ou Philippe Bertrand (*Linda aime l'art*), utilisent des matières dites opaques ou couvrantes, comme la gouache et l'acrylique. D'autres, comme Vink (*Le Moine fou*) ou Michel Crespin (*Troubadour*) préfèrent les matières transparentes, aquarelle ou encres de couleur. Nicolas de Crécy (*Foligatto, Léon la Came*) change de technique selon le sujet qu'il traite, tandis que les Italiens Liberatore (*Ranxerox*) et Mattotti (*Feux*) n'hésitent pas à utiliser feutres de couleur, pastels, couleurs à l'huile, etc. Avec le dernier cité, c'est Alex Barbier (*Lycaons, Les Paysages de la nuit*) qui est allé le plus loin dans l'abandon du «dessin BD» traditionnel au profit de compositions plus libres privilégiant les couleurs, la lumière et les matières.

Petites cases et grandes toiles

Beaucoup d'auteurs de BD, formés aux Arts décoratifs ou aux Beaux-Arts, avaient commencé par la peinture. De plus en plus nombreux sont ceux qui mènent les deux activités de front, publiant des albums et exposant plus ou moins régulièrement leurs toiles. Tardi, Loustal, Rochette, Eberoni, Baudoin, Mattotti et Barbier font partie de ceux-là.

En libérant la couleur, l'image BD moderne a gagné une matérialité nouvelle, et quelquefois trouvé un supplément d'être.

Romans graphiques

La bande dessinée s'écarte de plus en plus souvent des normes de l'album traditionnel, s'autorisant des récits plus amples, aux structures plus complexes.

Court ou long métrage ?

Les éditeurs se sont longtemps réfugiés derrière des arguments techniques ou économiques pour limiter le nombre de pages utiles d'un album* à 44 ou 46. La mise en page* s'étant aérée dans les années 1970-1980 (moindre densité de vignettes* par planche*), il devint de plus en plus difficile de faire tenir les récits dans ces limites étroites. Privilège de la notoriété, Hergé avait naguère pu développer plusieurs de ses intrigues en deux volumes de 62 planches. Ses successeurs optèrent souvent pour des séries limitées de trois, quatre ou cinq albums découpant un cycle romanesque en autant de chapitres. Ainsi des *Passagers du vent* de Bourgeon ou de *La Quête de l'oiseau du temps* de Loisel et Letendre.

Les romans (À Suivre)

Hugo Pratt avait ouvert une brèche avec les 163 pages de *La Ballade de la mer salée* (où Corto Maltese fit sa première apparition). Son éditeur français, Casterman, ouvrit en 1978 les pages du mensuel *(À Suivre)* à des récits de grande amplitude. Une collection d'albums vit le jour, significativement intitulés *romans (À Suivre)*. Des œuvres majeures comme *Ici Même* de Tardi et Forest, *Silence* de Comès, *Tim Galère* de F'Murr ou *La Fièvre d'Urbicande* de Schuiten et Peeters prouvèrent que des scénarios plus riches pouvaient régénérer la bande dessinée.

Des formats nouveaux

Maus, le chef-d'œuvre de l'Américain Art Spiegelman, évoque, à travers les souvenirs du père de l'artiste, le sort fait aux Juifs par les nazis. Cette bande dessinée a été publiée en France par un éditeur littéraire, Flammarion, en deux volumes dont le format était celui des romans (1987

*Corto, toujours
un peu plus loin*
Hugo Pratt
© Casterman.

et 1992). Depuis, plusieurs collections ont été créées qui s'écartent résolument du format album, retournent au noir et blanc, et adoptent une pagination variable. Elles sont le fait d'éditeurs comme Le Seuil ou Actes Sud, mais aussi de petites structures indépendantes comme l'Association. Les mangas* participent à cette diversification des supports.

La liberté de sujet

Tardi, Moebius et Loustal furent parmi les premiers à signer des albums qui ne s'inscrivaient pas dans une série éternellement consacrée au même personnage. Dans la BD actuelle, les séries (quelquefois atypiques comme *Les Cités obscures* de Schuiten et Peeters ou *Lapinot* de Lewis Trondheim) sont de plus en plus concurrencées par des livres uniques, qui épuisent leur sujet d'un coup. C'est alors le projet d'auteur qui détermine la pagination (300 pages pour le *Conte démoniaque* d'Aristophane, dont l'action est entièrement située en enfer).

> La bande dessinée tend à s'affranchir des contraintes qui régissaient la production enfantine, offrant ainsi à ses créateurs une liberté égale à celle des romanciers.

Chroniques du quotidien

À côté de l'humour et de la satire, la BD a longtemps illustré des trames héroïques ou mythologiques héritées du roman populaire. Mais le héros redresseur de torts cède du terrain devant des personnages plus ordinaires.

Les fresques naturalistes

La psychologie restait sommaire tant que le héros se définissait par ses actions plus que par ses problèmes existentiels et affectifs. Des dessinateurs comme Jean Teulé, Jacques Ferrandez, Gibrat (la série des *Goudard* avec Jackie Berroyer), Tito (*Tendre Banlieue*) ou Baudoin ont été parmi les premiers à mettre en scène des hommes et des femmes d'aujourd'hui, dans un contexte quotidien sociologiquement défini. Les *Histoires amicales du Bar à Joe* des Argentins Muñoz et Sampayo pourraient servir de manifeste à ce courant, qui a remplacé le suspense par l'émotion, l'enchaînement des péripéties par la chronique des sentiments.

L'artiste, héros des temps modernes ?

Le héros traditionnel était reporter, détective, explorateur ou pilote. Ces vingt dernières années, de plus en plus de récits se situent dans le monde de l'art, et s'articulent autour de peintres, d'écrivains, de sculpteurs ou d'architectes. Comme si l'art était la dernière aventure d'un monde entièrement balisé, où les notions de temps et de distance n'ont plus cours (le fameux «village planétaire»). Ou comme si la BD, légitimée en tant que «9e art», entendait montrer ainsi qu'elle participe désormais de plein droit à la vie culturelle et au concert des médias.

Images de soi

L'exemple est venu d'Amérique. Justin Green, Art Spiegelman, le scénariste Harvey Pekar et surtout Robert Crumb ont fait de leur ego le sujet de leur œuvre. Devenus leurs propres personnages, ils ont introduit le questionnement autobiographique dans la bande dessinée. Le travail de Crumb – une autothérapie oscillant entre l'exhibitionnisme et l'apitoiement sur soi-même – a exercé une profonde influence. Avec sa femme Aline Kominsky, elle-même dessinatrice, il décrit sa vie de couple dans des BD à quatre mains où chacun se dessine : les *Dirty Laundry Comics*.

Première confession
Comic book* publié en 1972 par Justin Green, *Binky Brown meets The Holy Virgin Mary* est considéré comme l'acte de naissance de la bande dessinée autobiographique.

Pour Jean-Christophe Menu, « *l'autobiographie en bande dessinée est une sorte de combinaison entre le texte intime et le dessin ou la peinture sur le motif*».

Le courant autobiographique

En France, Cabanes (*Colin Maillard*), Baudoin et Wolinski, notamment, ont ouvert la voie à la fin des années 1980, mais ce sont surtout les jeunes dessinateurs travaillant pour la petite édition qui ont fait de la confession dessinée un genre à part entière. Joe Pinelli, Jean-Christophe Menu (*Livret de Phamille*), Lewis Trondheim (*Approximativement*) et Fabrice Neaud (*Journal*) relatent leur vie au quotidien et s'interrogent sur la création. On retiendra aussi l'œuvre forte de la jeune Canadiene francophone Julie Doucet (*Ciboire de Criss!*).

En délaissant l'aventure pour l'évocation des menus faits dont est tissée la vie quotidienne, la bande dessinée démontre qu'elle est un mode d'expression à part entière.

L'exploration du langage

Un regain d'intérêt se fait sentir depuis quelques années pour l'exploration ludique des potentialités formelles du langage de la bande dessinée.

Retour au silence

Les premières BD muettes datent de la fin du XIXᵉ siècle (*voir* pp. 4-5). Marginalisées par l'essor de la bande dessinée narrative classique, elles reviennent en force et n'ont jamais été plus nombreuses qu'aujourd'hui, tant en France que dans la zone d'influence germanique.

Avril et Petit-Roulet, Hendrik Dorgathen, Fabio, Thomas Ott, Anna Sommer et Lewis Trondheim, notamment, ont publié des albums* qui ne comportent aucun texte.

La narration entièrement visuelle exploite toutes les ressources de la pantomime et conduit souvent à une grande inventivité graphique.

MARC-ANTOINE MATHIEU
Julius Corentin Acquefacques, prisonnier des rêves
(2)
LA FIN DU DÉBUT
DELCOURT

Le trou et le trop-plein

Dans le renouvellement ingénieux des codes de la bande dessinée, le Français Marc-Antoine Mathieu rivalise avec le Britannique Dave McKean.

Le premier signe les aventures absurdes de *Julius Corentin Acquefaques*, et se livre, dans chaque album, à une manipulation du support : livre tête-bêche (réversible), ou découpe au sein de l'une des pages. Avec les dix fascicules du cycle *Cages* (1990-1996), qui voit le peintre Leo Sabarski découvrir les surprises que lui réserve son étrange atelier, le second mêle séquences muettes et dialogues, noir et blanc et couleur, dessin et photographie, en une déconcertante et somptueuse tapisserie.

Un génie nommé Chris Ware

The Acme Novelty Press est le nom d'une revue qui paraît irrégulièrement depuis 1993, sous des formats divers, et dont tout le contenu, depuis les bandes dessinées jusqu'au courrier des lecteurs et aux fausses publicités, est dû au talent d'un jeune prodige américain (né en 1968) : Chris Ware. Fils spirituel d'Herriman, cet artiste alterne les chroniques désenchantées de la vie d'un vieux garçon nommé Jimmy Corrigan (tous les autres personnages étant systématiquement maintenus hors champ, donc invisibles) avec de courtes séquences dessinées dans des styles très divers, avec une prodigieuse science du rythme et de la mise en page*.

La bande dessinée potentielle

Sur le modèle de l'Oulipo (Ouvroir de littérature potentielle), un Oubapo s'est créé fin 1992, consacré à la bande dessinée potentielle, c'est-à-dire la BD née de l'application de contraintes formelles *a priori*. Les membres fondateurs de l'Oubapo ont notamment publié jusqu'ici des albums fondés sur la répétition des mêmes images (*Moins d'un quart de seconde pour vivre* par Menu et Trondheim) ou sur le pliage (*Pervenche et Victor* d'Étienne Lécroart), ainsi qu'une série de trois dés dont les faces dessinées se combinent pour donner à lire l'équivalent d'une bande aléatoire (*Après tout tant pis*, de Baraou et Chalmeau).

> **L'Oulipo**
> Ce groupe a été fondé en 1960 par quelques écrivains et mathématiciens. Raymond Queneau, Georges Perec et Italo Calvino en ont fait partie.

> « *La bande dessinée offre la possibilité d'une densité supérieure à celle d'aucun autre média. Quand elle veut concurrencer le cinéma elle sacrifie son originalité…* »
> **Chris Ware**

En jouant avec les codes de la bande dessinée, les dessinateurs multiplient les trouvailles drôles ou étranges, et produisent quelquefois des œuvres très sophistiquées.

Tout est possible !

Les films d'animation et la bande dessinée n'ont cessé de le démontrer : il n'y a pas de limite à l'imagination graphique, et le dessin a le don de faire accepter l'extraordinaire.

Les métamorphoses du corps

C'est une constante depuis Töpffer et son *Mr Vieux Bois* : les corps des personnages dessinés ne cessent de subir toutes sortes d'altérations. Ils grandissent, rapetissent ou se multiplient (comme *Little Nemo*), redistribuent les éléments qui composent leur anatomie (par exemple chez Buzzelli), se rendent méconnaissables par des mutations incessantes *(Bienvenue aux terriens* de Pétillon), sont investis par un Dieu (chez Bilal), voire se transforment en… dessins d'enfants – pour ne rien dire des changements d'âge et des déguisements. Le héros dessiné rappelle ainsi l'arbitraire de son apparence.

Snoopy
Le célèbre chien de Charlie Brown immortalisé par Schulz dès 1950 a commencé par aboyer et à marcher à quatre pattes. Il s'est progressivement humanisé, puis a cultivé des fantasmes d'identification à un avocat, un cosmonaute, ou un as de la Première Guerre mondiale.

Ces animaux qui parlent

Le dessin peut aussi donner la vie à un objet (telle Rosalie, la voiture de Calvo), un légume (le Concombre masqué) ou une partie du corps (le Manu-Manu chez Fred), l'anthropomorphiser, en faire un être vivant à part entière. La bande dessinée a fait fructifier l'héritage de la fable et de dessinateurs comme Grandville en inventant des sociétés d'animaux humanisés (de Krazy Kat à Chlorophylle en passant par Pogo, Patamousse et Pif le chien). Son génie propre s'est aussi manifesté par la création d'espèces imaginaires, tel le merveilleux Marsupilami de Franquin.

Les Cités obscures – « **Les Murailles de Samaris** » – **Schuiten et Peeters** – **© Casterman.**

Du grand spectacle

Pas besoin de Cinémascope, de son Dolby ni d'une débauche d'effets spéciaux : avec ses petites images immobiles, la bande dessinée nous projette dans les univers spectaculaires du western, du fantastique ou de la science-fiction. Les dessins nous captivent et produisent l'illusion d'un monde consistant, habitable. Harold Foster ressuscitait la cour du roi Arthur ; les *space operas** d'un Druillet ou d'un Gillon font entendre le silence éternel des espaces infinis…

Toutes les utopies

Les dessinateurs aiment à se faire démiurges et à engendrer des mondes imaginaires, inventant leur architecture, leur décoration, leur faune et leur flore, sans oublier leur organisation politique, religieuse et sociale. La BD peut rêver d'une ville entière construite par le maître de l'Art nouveau Victor Horta (cf. *Les Murailles de Samaris*), comme elle peut recréer la civilisation celte, Mû ou l'Atlantide. Chronique des temps barbares, l'*heroïc fantasy* est un genre très en vogue depuis quelques années, où les auteurs donnent libre cours à leur imagination.

Il suffit d'une feuille de papier et d'un crayon pour matérialiser, au moyen de la bande dessinée, les plus folles inventions, sans aucune contrainte technique ou financière.

Magie du dessin

Beaucoup de lecteurs « consomment » la bande dessinée, y cherchant d'abord une histoire qui les divertisse. Il s'agit pourtant d'un art visuel, où il importe aussi de goûter les qualités propres du dessin.

Les pouvoirs du trait
Selon le critique d'art Pierre Sterckx, le dessin d'Hergé, apparemment si transparent, mais que l'artiste qualifiait lui-même de cérébral, est de ceux qui conduisent *« aux plus grandes terreurs et aux plus grandes illuminations »*.

« Il y a deux grandes familles de dessinateurs : ceux qui « laborent », qui poussent leur trait, avec précision, d'une façon préméditée. Et puis ceux qui le « jettent », qui basent leur graphisme sur [...] le non-contrôle. » Jean « Moebius » Giraud

Le refuge de l'art graphique

Naguère considéré comme le premier de tous les arts, et comme la discipline dont devaient par excellence se rendre maîtres les artistes plasticiens, le dessin a été fort malmené au XXe siècle. La peinture, engagée dans l'aventure de l'art moderne, a majoritairement tourné le dos à la figuration, tandis que la photographie supplantait le dessin dans la presse, l'affiche, et tous les supports imprimés. Les historiens de l'art s'apercevront peut-être un jour que c'est la bande dessinée, plus qu'aucune autre forme, qui a maintenu vivante la tradition de l'art graphique.

Diversité des écritures

On a coutume de séparer les dessinateurs en deux grandes familles, les réalistes et les humoristes. Cette opposition un peu sommaire masque l'extraordinaire diversité des styles, qui fait de la bande dessinée une anthologie permanente du dessin dans tous ses états. Si un Juillard et un Schuiten y perpétuent la tradition du dessin classique, beaucoup d'autres, de Franquin à Bretécher en passant par Will Eisner, se sont forgé un graphisme remarquable, une écriture stylisée qui, pour ne plus rien avoir d'académique, n'en relève pas moins du très grand dessin.

Chaque trait a son histoire

Il faut avoir lu beaucoup de bandes dessinées et connaître l'histoire de cet art pour apprendre à reconnaître les filières, les écoles, les influences souterraines qui établissent des passerelles entre dessinateurs de générations successives. On découvre alors que la bande dessinée a sa propre histoire esthétique, dont les ramifications sont passion-

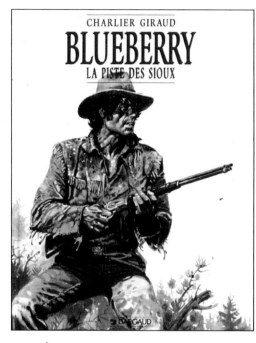

nantes. À partir du style de Milton Caniff, par exemple, on peut voir comment une branche a donné Jijé, puis Giraud et Mézières, puis Rossi, tandis qu'une autre conduisait à Pratt et Breccia, puis à Comès et Muñoz.

Retour à l'original

Face à la page imprimée, on ne peut pas toujours apprécier le dessin dans sa plénitude. Le contact avec les planches originales (elles sont de plus en plus souvent exposées) permet une meilleure perception des qualités sensibles du trait, et procure une émotion plus sensuelle. Les ratures aériennes d'un Moebius ou les larges coulées d'encre d'un Baudoin sont soudain rendues à leur vérité. L'original porte souvent aussi des traces de sa genèse : restes de crayonné, collages, corrections à la gouache rendent complice du travail de l'artiste.

Les premiers dessins publiés de ceux qui sont devenus les plus grands maîtres de la BD étaient souvent d'une grande maladresse. Les exigences des scénarios et la patience d'un artisanat quotidien ont permis l'éclosion de très grands artistes.

L'arsenal de l'humour

La bande dessinée cultive toutes les ressources du comique. Elle a beaucoup emprunté, à la caricature, au cinéma burlesque et à la littérature satirique, mais elle a su aussi développer des formes d'humour spécifiques.

Une langue à part
« Je ne comprends rien aux garçons » devient, dans le langage d'Agrippine, l'adolescente créée par Claire Bretécher : *« Je capture queud aux gnolgues. »*

Le comique de langage

Nombre de personnages de BD se distinguent par leur idiolecte, l'emploi particulier qu'ils font de la langue. Les incorrections de Popeye, les lapsus des Dupond et Dupont, les calembours atroces de Libellule («second» de Gil Jourdan), les perles du maire de Champignac ou l'argot des banlieues parlé par le rat Kebra contribuent fortement à les caractériser. Certaines bandes dessinées, comme celles de l'humoriste américain Jules Feiffer, ne tiennent que par l'esprit dont témoignent les dialogues.

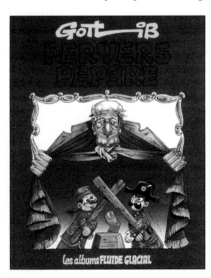

La création de «types»

Les caricaturistes du XIXe siècle avaient Joseph Prudhomme, Mayeu le Bossu ou Robert Macaire. La bande dessinée moderne a créé ses propres concentrés d'humanité, des figures ridicules incarnant la bêtise d'une classe ou d'une époque. *Le Beauf* de Cabu et *Les Bidochon* de Binet en sont de bons exemples. *Superdupont*, de Lob et Gotlib, réussit à être à la fois une parodie des super-héros américains et une satire du Français moyen, dont il arbore les emblèmes traditionnels (béret, moustache, charentaises, etc.) et partage l'esprit cocardier.

Ci-contre :
Les Bidochon –
« Des instants
inoubliables »
(n° 14) – Binet –
© Binet – Fluide
glacial 1995.

Page de gauche :
Pervers pépère
Gotlib
© Gotlib–Audie –
Fluide glacial 1991.

L'expressivité graphique

Le corps humain, ses attitudes, ses gestes et ses mimiques, se prêtent à l'exagération bouffonne. Don Martin (naguère vedette du magazine *Mad*) ou Edika tirent des effets irrésistibles des mines ahuries et de la gesticulation forcenée de leurs personnages. Influencé par les films de Tex Avery, Gotlib a lui aussi poussé de plus en plus loin l'exacerbation des postures et des expressions physionomiques – tous deux ayant paradoxalement créé des personnages de chien flegmatiques et impassibles, respectivement Droopy et Gai-Luron.

Le génie du gag

La forme brève convient à la bande dessinée. Beaucoup de séries humoristiques à succès ne proposent qu'une brève anecdote à chaque livraison. Ainsi de *Mafalda*, *Peanuts*, *Gaston*, *Boule et Bill*, *Cubitus*, *Léonard*, *Les Frustrés* ou *Calvin et Hobbes*. Ces brefs épisodes, variations sur quelques thèmes ou personnages, se terminent par une chute en forme de pointe (mot d'esprit) ou de gag. Le *running gag* (gag à répétition) installe une connivence avec le lecteur. On le retrouve dans les séries aux intrigues plus développées, par exemple chez Goscinny : Assurancetourix est toujours empêché de chanter, le chien Rantanplan comprend tout de travers, etc.

À visage découvert
La bande dessinée
sait aussi rire
d'elle-même.
Achille Talon
nous introduisait
dans les coulisses
du journal *« Polite »*,
et Gotlib
se représentait
en dessinateur
mégalomane
couvert de gloire.

> En Europe,
> aux États-Unis
> et au Japon,
> la bande dessinée
> a d'abord été
> humoristique,
> comme si conter
> une histoire par
> le biais du dessin
> impliquait
> l'exagération
> ou la satire.
> Ses thèmes
> se sont ensuite
> diversifiés
> peu à peu.

Bande dessinée et littérature

Ce sujet est source de nombreux malentendus. La bande dessinée n'est pas un genre littéraire ou paralittéraire, mais un mode d'expression à part entière, dont le discours passe d'abord par l'image.

Brouillard au pont de Tolbiac
Léo Malet et Tardi
© Casterman.

« *L'inclusion des mentions écrites dans un roman-photo pose des problèmes particuliers, que la BD ne rencontre pas. Alors que le lettrage manuel permet de lier les mentions écrites au dessin, le texte reste toujours un corps étranger, difficilement intégrable dans une photographie.* »
Benoît Peeters

Une espèce narrative

Il existe un genre narratif, qui suppose chez tous ceux qui le pratiquent la maîtrise d'une certaine technique (caractérisation des personnages, gestion du temps, découpages en scènes, etc.) : l'art du récit. Ce genre narratif, qui se confondit longtemps avec la littérature, écrite ou orale, se spécifie désormais en espèces plus nombreuses, dont les diverses formes du récit en images : cinéma, bande dessinée, roman-photo. Chacune de ces formes a sa propre façon de raconter ; la bande dessinée procède par séquences d'images fixes, dessinées, qui comportent fréquemment (mais pas obligatoirement) des inscriptions verbales.

Le dialogue comme citation

Dans une BD, l'image exprime tout ce qui peut être traduit en termes visuels : personnages, décors, objets, atmosphère, actions… Il n'y a que les échanges verbaux que l'image est impuissante à traduire : ils doivent donc être cités. L'acte de parole est une des nombreuses actions aux-

Le temps de parole
Le texte introduit souvent une durée dans l'image. Quand, à l'intérieur d'une même case, un personnage répond à un autre, chacun vit « à l'heure de sa bulle* ».

quelles se livrent les personnages, mais il passe par un code spécifique, qui est celui des mots. Bien qu'il soit écrit, le dialogue remplit, dans la BD, une fonction à peu près identique à celle du dialogue au cinéma. Il ne fait pas de la bande dessinée une variante de la littérature.

Du roman à la BD

De même que beaucoup ont été portés à l'écran, un certain nombre de contes et de romans ont été adaptés en bande dessinée, avec plus ou moins de bonheur. Le Français René Giffey, l'Italien Dino Battaglia et l'Argentin (d'origine uruguayenne) Alberto Breccia s'étaient fait une spécialité de semblables adaptations. Breccia a notamment adapté Lovecraft, Grimm, Edgar Poe et Ernesto Sabato. On retiendra aussi les albums* de Tardi d'après Léo Malet (*Nestor Burma*), la version futuriste de *Salammbô* dessinée par Druillet, l'*Ulysse* de Lob et Pichard d'après Homère, ou encore le *Journal* de Jules Renard lu par Fred.

Cinémastock
Gotlib et Alexis
© Dargaud Éditeur
1974.

Détournement de texte

La bande dessinée s'écarte fréquemment de la simple transposition (changement de média) pour s'adonner à la parodie. L'œuvre originale est alors tournée en dérision, détournée, subvertie, truffée de gags et d'anachronismes. Après avoir lu *Cinémastock* de Gotlib et Alexis, il devient difficile de prendre *Hamlet* ou *Notre-Dame de Paris* au sérieux. *L'Amant de lady Chatterley* devient tout aussi délirant dans la version du dessinateur britannique Hunt Emerson.

Comme la littérature, la bande dessinée est un produit de librairie, mais elle utilise d'autres moyens pour raconter une histoire, et nous procure dès lors un plaisir de nature différente.

Bande dessinée et cinéma

Ce sont les deux grandes formes du récit en images, tel qu'il s'est développé au XXᵉ siècle. Cousines mais foncièrement différentes, elles n'ont cessé de s'influencer mutuellement.

Ne les confondons pas

Le cinéma, septième art, et la BD, neuvième art, utilisent un vocabulaire en partie commun : on y parle de gros plan, de cadre, de découpage, de scénario et de séquence. On ne saurait pourtant définir la bande dessinée comme du cinéma sur papier, car leur langage est essentiellement différent. Pas de mouvement ni de son dans la BD, qui les suggère par des traits ou des onomatopées*. En revanche, l'immobilité de l'image permet au lecteur de s'y arrêter et d'en contempler les moindres détails. Et au lieu d'avoir devant les yeux une seule image (projetée sur l'écran), il en regarde plusieurs, dont la coprésence est orchestrée par une mise en page* quelquefois très inventive.

BATMAN

WILLIAM DOZIER
ADAM WEST · BURT WARD · LEE MERIWETHER
CESAR ROMERO · BURGESS MEREDITH · FRANK GORSHIN
WILLIAM DOZIER — LESLIE H. MARTINSON

Hollywood coquin

Dans les années 1930 et 1940 fleurirent les « *Eight-pagers* » ou « *dirty comics* », BD pornographiques anonymes, souvent grossièrement dessinées, dont les protagonistes n'étaient autres que Greta Garbo ou Clark Gable.

Le dessinateur incarné

Jack Lemmon, Sami Frey, Jean-Pierre Cassel, Brigitte Fossey, Thierry Lhermitte sont quelques-uns des acteurs qui ont tenu dans l'un de leurs films le rôle d'un dessinateur de BD.

Influences réciproques

La bande dessinée d'aventures a subi, dès les années 1930, l'influence d'Hollywood, et continue aujourd'hui fréquemment à imiter des procédés de mise en scène cinématographique. Dans certains genres comme le polar ou le western, les dessinateurs sont obligés de composer avec les stéréotypes que le cinéma a imposés à l'imaginaire collectif.

La BD, cependant, a influencé en retour des réalisateurs aussi différents que Spielberg, Terry Gilliam ou Alain Resnais. Le septième art met souvent les auteurs de BD à contribution comme scénaristes, ou pour des interventions graphiques : conception visuelle, scénarimage (*story-board*), décors, affiches.

De la planche vers l'écran

L'Arroseur arrosé, l'un des premiers films Lumière datant de 1896, ne faisait que reprendre un gag déjà classique de l'imagerie Quantin, à Paris. Par la suite, la plupart des bandes dessinées célèbres ont été portées à l'écran, de *Superman* à *Tintin*, tandis que les héros de la littérature populaire, tels Tarzan et Zorro, inspiraient simultanément dessinateurs et cinéastes. La BD n'a malheureusement suscité que peu de films de grande qualité. *Popeye* de Robert Altman (1980), *Annie* de John Huston (1982), *Batman* de Tim Burton (1989) et *Dick Tracy* de Warren Beatty (1990) méritent des mentions spéciales.

De l'écran vers la planche

De Charlot à Laurel et Hardy, les stars du burlesque ont toutes inspiré des bandes dessinées, aux États-Unis mais aussi en France – où *La Petite Shirley*, bande dessinée de Giffey, avait pour héroïne la jeune actrice Shirley Temple. Plus récemment, ce sont surtout les grands films de science-fiction qui ont fait l'objet de *comic books** : *Star Wars*, *Outland*, *2001*, *Alien*, etc. Comme pour la littérature, la BD humoristique s'est plu à parodier les classiques du cinéma. Le magazine *Mad* excellait dans cet exercice, et chez nous Gotlib, Pétillon et Goossens.

> L'influence du cinéma sur la bande dessinée et vice versa est constante et féconde, même si leur flirt, quand il devient trop poussé, produit souvent des enfants bâtards.

Dessinateurs tout-terrain

Mieux reconnus en tant qu'artistes, les dessinateurs de BD sont de plus en plus sollicités pour mettre leur talent graphique et leur imagination au service d'autres supports.

Le Monde d'Edena
« Sur l'étoile »
Moebius
© Casterman.

Pub et BD

Tous les styles de dessin ne conviennent pas aux publicitaires, mais certains dessinateurs sont très demandés. Floc'h et Ted Benoit (adeptes de la ligne claire, choisie pour son classicisme et sa parfaite lisibilité), Bretécher (le croquis vivant et sympa) et Moebius sont de ceux-là. Le dernier cité est parti d'une de ses réalisations publicitaires les plus réussies (*Sur l'étoile : une croisière Citroën*) pour développer une nouvelle série de fiction : *Le Monde d'Edena*. La campagne télévisée du dessinateur Petit-Roulet pour la voiture Twingo est, elle aussi, appelée à faire date.

Les belles images

Changements d'airs
Le monde de la chanson aussi a récupéré des transfuges de la BD, comme Kent ou encore Cleet Boris (le chanteur du groupe *L'Affaire Louis Trio*).

L'illustration est naturellement très proche de la bande dessinée ; depuis toujours les artistes passent aisément de l'une à l'autre. Les dessinatrices, nombreuses dans le domaine du livre illustré pour enfants, ont cependant plus de difficultés à s'imposer dans la BD. À l'inverse, des auteurs comme Claeys, Nicollet ou Götting ont délaissé la BD au profit de l'illustration. Le style naturellement illustratif de dessinateurs comme Loustal, Bilal, Dupuy et Berberian ou Killoffer leur vaut de nombreuses commandes de la presse et de l'édition. La mise en images de textes littéraires par des dessinateurs de BD, en vogue à la fin des années 1980 (grâce notamment à la collection «Futuropolis/ Gallimard», dont on retiendra surtout les trois romans de Céline illustrés par Tardi), a été abandonnée.

Monsieur Jean, l'amour, la concierge – **Dupuy et Berberian –** Les Humanoïdes associés
© 1991 Humano SA Genève.

Les aventuriers du dessin

La conception d'affiches, de sérigraphies, de posters est une autre activité régulière des auteurs de bande dessinée. Mais certains s'aventurent sur des terrains moins convenus, comme la conception de décors pour des spectacles. Bilal a signé des décors de spectacles, Druillet la conception visuelle de clips et d'un film pour la Géode, Schuiten l'habillage de stations de métro à Paris et à Bruxelles.

Le passage à la caméra

L'aventure du cinéma a tenté quelques dessinateurs au cours des années 1980, notamment Régis Franc et Martin Veyron. Seuls Enki Bilal et Gérard Lauzier semblent devoir persévérer dans cette voie. Mais le public ignore souvent que Patrice Leconte, Jean-Louis Hubert et Caro (le complice de Jeunet) faisaient de la bande dessinée avant de gagner leurs galons de réalisateurs.

> La bande dessinée mène à tout à condition d'en sortir. Les collectionneurs qui suivent un dessinateur à la trace ont souvent de plus en plus de mal à recenser toutes ses collaborations.

Les déclinaisons du succès

Les personnages de bande dessinée les plus populaires deviennent des figures familières à un large public, de véritables idoles dont la notoriété peut être exploitée de multiples façons.

Les objets dérivés

Le terme *merchandising* (en français : « marchandisage ») désigne l'utilisation commerciale de ces héros sous d'autres formes que l'album* ou la revue. Les éditeurs vendent des licences permettant leur exploitation par des fabricants d'articles de papeterie, de puzzles, de vêtements, de jouets, de vaisselle, de figurines et autres gadgets. De véritables objets de collection sont aussi produits en séries limitées : plaques émaillées, tapis, sculptures en résine et maquettes en bois laqué, quelquefois très soignés, entretiennent le mythe et satisfont le fétichisme des amateurs.

Stratégie de conquête

C'est par le biais de la télévision (les programmes de dessins animés du samedi matin), appuyés par des disques et des peluches, que les Schtroumpfs de Peyo ont conquis le marché américain au début des années 1980, alors même que les albums y étaient inconnus.

Les séries télé

Une présence sur le petit écran a un effet démultiplicateur sur la popularité d'un personnage. Les séries de dessins animés pour la télévision apparaissent donc comme la meilleure des promotions pour une bande dessinée. Ces dernières années, malgré la concurrence des mangas, la télévision s'est notamment emparée de *Tintin*, du *Marsupilami* (d'après Franquin), de *Spirou* (d'après Tome et Janry), de *Chlorophylle* (d'après Macherot), de *Basil et Victoria* (d'après Edith et Yann), des *Sales Blagues* de Vuillemin, et même de *Prince Valiant*, d'après Harold Foster, tandis que les personnages de Bretécher étaient incarnés par des marionnettes.

Le grand écran aussi

La consécration suprême (tant au Japon qu'en Europe) est évidemment de susciter la réalisation d'un dessin animé de long métrage exploité dans les salles de cinéma. Les investissements étant lourds, seules les stars de la BD y ont eu droit : *Tintin*, *Lucky Luke*, *Astérix*. Le bilan économique est plutôt satisfaisant, le bilan artistique beaucoup plus mitigé. Les enfants aiment, mais les vrais amateurs de bande dessinée font la grimace.

Les parcs à thème

Les parcs d'attraction ont connu un essor important ces dernières années. On n'a pas suffisamment remarqué que nombre d'entre eux étaient directement inspirés d'univers issus de la bande dessinée. Si le cas de Disneyland est plus complexe, la chose est claire pour le parc Walibi Bruxelles (inspiré de *Tintin*), pour le parc Astérix ou le Schtroumpfland. Le public peut désormais se promener dans des reconstitutions en trois dimensions de décors tirés des albums, comme si le rêve était devenu réalité.

L'internationale de l'animation

Les derniers longs métrages adaptés d'*Astérix* ont été produits et réalisés en Allemagne, mais les studios Disney France, dirigés par les frères Brizzi, sortent désormais de très bons longs métrages.

Les héros de bande dessinée connaissent souvent plusieurs vies, grâce au petit ou au grand écran, aux objets dérivés et aux parcs d'attractions.

Qui lit quoi ?

Le public de la bande dessinée est plus large et plus segmenté qu'autrefois. Contrairement à une idée reçue, les lecteurs de BD lisent aussi autre chose...

Jeunes lecteurs
Toutes les enquêtes démontrent que le goût de la bande dessinée s'acquiert dans l'enfance. Celui qui n'en lisait pas enfant n'en lira pas à l'âge adulte.

Quelques chiffres

Selon un sondage Ifop de janvier 1994, 92% des 8-14 ans et 64% des 15-24 ans lisent une ou plusieurs bandes dessinées dans l'année. Mais la bande dessinée concerne aussi les adultes et singulièrement la «génération de 68», qui en a fait une composante de sa culture. Parmi les plus gros lecteurs de livres (ceux qui en achètent au moins 25 dans l'année), 60% lisent aussi de la BD. Les enquêtes montrent que la bande dessinée a un public plutôt citadin, appartenant aux classes moyennes, et gros consommateur de biens culturels en tous genres.

Les filles moins concernées

L'époque où la BD s'adressait presque exclusivement aux garçons est révolue, mais les filles (qui ont leurs auteurs de prédilection, comme Bourgeon, Cosey, Baudoin ou Manara) restent moins fanatiques. Elles lisent moins d'albums*, et sont plus nombreuses à n'ouvrir jamais aucune BD.

Les filles qui préfèrent lire des romans disent volontiers qu'elles n'aiment pas se voir imposer des images…

Petits et grands enfants

Au contraire de ce qui se passe en littérature, la bande dessinée pour enfants a aussi beaucoup de lecteurs adultes. En fait, elle se confond largement avec la bande dessinée dite «tous publics», tandis que la BD adulte se définit par défaut, comme interdite aux plus jeunes ou trop difficile pour eux.

Les séries les plus populaires (*Tintin*, *Astérix*, *Lucky Luke*, *Boule et Bill*, *les Schtroumpfs*…) étaient déjà des *bestsellers* il y a un quart de siècle.

En prenant de l'âge, les amateurs de BD restent souvent fidèles aux lectures de leur enfance, et en transmettent le goût à leurs enfants.

La BD en bibliothèque

Longtemps réfractaires à la bande dessinée, accusée de détourner de la «vraie lecture», les bibliothécaires se sont rattrapés.

Ils ont aussi découvert que la constitution d'un fonds bande dessinée favorise la fréquentation de la bibliothèque et y attire un public plus jeune.

Selon une enquête publiée début 1996, la bande dessinée représenterait 7% du total des livres détenus dans le réseau de lecture publique en France.

En moyenne les bibliothèques municipales détiennent plus de 2300 albums, et consacrent 10,5% de leur budget annuel en achats de livres (soit un peu plus de 14000 francs).

Haro sur la BD

Le pamphlet le plus virulent jamais publié contre la lecture de la bande dessinée, accusée de pervertir la jeunesse et de la pousser au crime, fut le livre du psychiatre américain Frederic Wertham *Seduction of Innocent* (1954).

Un Français sur cinq déclare que la bande dessinée représente sa lecture favorite.

La bande dessinée, objet de collection

La nostalgie qui s'attache aux lectures de l'enfance transforme fréquemment les lecteurs de bande dessinée en collectionneurs. Au marché des éditions anciennes s'ajoute désormais celui des dessins originaux...

Une famille nombreuse

En France, c'est un article de Pierre Strinati paru en 1961 dans *Fiction* qui révéla l'existence d'une première génération de collectionneurs. La plupart étaient issus d'un milieu bourgeois, et s'intéressaient en outre à la science-fiction, au jazz et au surréalisme. Les collectionneurs de BD sont aujourd'hui beaucoup plus nombreux et la surproduction les a obligés à se spécialiser. Désormais, chacun s'intéresse de façon plus particulière à tel auteur, telle maison d'édition, telle «école», tel périodique, ou à telle catégorie de produits dérivés. Petites annonces, bourses d'échanges, conventions et foires aux «vieux papiers» leur permettent d'assouvir leur quête.

La BD a un prix

Régulièrement publié et mis à jour depuis le début des années 1980, un catalogue encyclopédique connu sous le nom de *BDM* (d'après les initiales de ses concepteurs) et intitulé *Trésors de la bande dessinée* recense toutes les parutions. Il tient aussi lieu d'Argus, attribuant une cote à tous les titres susceptibles d'être recherchés par les collectionneurs. Ces cotes sont établies par une chambre d'experts et se sont imposées comme référence dans toutes les transactions.

Drouot s'ouvre à Mickey

Les ventes aux enchères de bandes dessinées de collection sont devenues fréquentes à l'hôtel Drouot depuis le début des années 1990. Quelquefois consacrées exclusivement aux déclinaisons innombrables d'un personnage mythique (Tintin, Astérix ou Mickey), elles proposent le plus souvent un échantillon très éclectique de périodiques, albums*, objets et planches originales. Le marché de l'original est le plus récent et reste pour le moment entre les mains d'une poignée de marchands (libraires ou galeristes).

Aux cimaises du musée

La bande dessinée a aussi désormais ses musées, les principaux étant à Bruxelles, Angoulême, Londres, San Francisco et en Floride. Un patrimoine graphique longtemps négligé est ainsi peu à peu reconstitué, archivé,

étudié, et présenté au public. Expositions permanentes et temporaires, publications, bibliothèques spécialisées, ateliers font de ces musées des lieux d'initiation et de plaisir, où le public peut apprécier la bande dessinée dans tous ses états. Certains collectionneurs n'en croient pas leurs yeux : en 1950, ils récupéraient encore fréquemment des dessins originaux dans les poubelles des éditeurs.

> Les trésors de la bande dessinée sont sortis peu à peu des greniers familiaux pour alimenter un marché où ils sont âprement disputés par les collectionneurs.

Adresses utiles

*Centre national de la bande dessinée
et de l'image (CNBDI)*
121, rue de Bordeaux,
16000 Angoulême.
Tél.: 05 45 38 65 65
Fax: 05 45 38 65 66
Musée de la bande dessinée,
bibliothèque, expositions temporaires,
service d'action culturelle, atelier
multimédia, département d'imagerie
numérique.

Centre belge de la bande dessinée
Rue des Sables 20,
1 000 Bruxelles.
Tél.: (02) 219 19 80
Fax: (02) 219 23 76
Musée de la bande dessinée,
bibliothèque, expositions temporaires,
librairie, restaurant.

Centre national du livre
53, rue de Verneuil,
75343 Paris Cedex 7.
Tél.: 01 49 54 68 68
Fax: 01 45 49 10 21
La Commission d'aide à la création
et à l'édition de bandes dessinées
est actuellement présidée par Fred.

Association des libraires de bande dessinée
Contact: librairie Album,
8 rue Dante, 75005 Paris.
Tél./Fax: 01 46 34 65 07

*École supérieure européenne
des arts et technologies de l'image*
134, rue de Bordeaux,
16000 Angoulême.
Tél.: 05 45 92 66 02
Fax: 05 45 94 92 28
Délivre un Diplôme national d'art
plastique, option communication,
mention BD.

École Émile Cohl
232, rue Paul-Fort, 69003 Lyon.
Tél.: 04 72 12 01 01
Fax: 04 72 35 07 67
École privée, délivrant une formation
en BD, illustration, animation et
infographie.

Institut Saint-Luc
rue d'Irlande 57, 1 060 Bruxelles.
Tél.: (02) 537 08 70
Délivre un diplôme de Graduat en arts
plastiques, option BD.

DOMAINE
FRANÇAIS | *COMICS* | AUJOURD'HUI

La Fanzinothèque
Confort Moderne,
185, rue du Faubourg-du-Pont-Neuf,
86000 Poitiers.
Tél.: 05 49 46 85 58
Fax: 05 49 61 30 34
Dépouille et archive tous les fanzines.

*Festival international
de la bande dessinée d'Angoulême*
2, place de l'Hôtel-de-Ville,
16000 Angoulême.
Tél.: 05 45 97 86 50
Fax: 05 45 95 99 28
La plus importante manifestation
spécialisée d'Europe. Ce festival se
déroule chaque année au cours du
dernier week-end de janvier.

Festival de la bande dessinée de Blois
BD Boum, 3 rue Alain-Gerbault,
BP 743, 41007 Blois Cedex.
Tél.: 02 54 42 49 22
Fax: 02 54 42 25 69
Dernier week-end de novembre.

Festival BD Charleroi-Images
Bulle organisatrice, Centre Hélios,
rue de Montigny 101,
6000 Charleroi (Belgique).
Tél.: (32) 71 27 67 44
Fax: (32) 71 27 67 14
Fin novembre.

*Festival international
de la bande dessinée*
Case postale 707,
3960 Sierre (Suisse).
Tél.: (41) 27 55 90 43
Fax: (41) 27 55 91 01
Première quinzaine de juin.

Glossaire

Album : livre contenant une bande dessinée.

Bédéphile : lecteur passionné de bande dessinée.

Bleu : épreuve tirée au format de parution, où le dessin est reproduit dans un ton très pâle (souvent bleu). La mise en couleurs est traditionnellement réalisée non pas sur la planche originale, mais sur cette épreuve.

Bulle (ou ballon, ou phylactère) : espace délimité par un trait, qui renferme les paroles que prononcent les personnages.

Cadrage : choix d'un angle de vue et du plan définissant la grosseur du sujet dans la case (gros plan, plan moyen, plan large, etc.).

Case (ou vignette) : unité de base de la narration en bande dessinée, elle consiste en un dessin encadré, généralement isolé par du blanc, et comprenant (ou non) des inscriptions verbales (bulle ou récitatif).

Coloriste : assistant(e) spécialisé(e) dans la mise en couleurs sur bleu.

Comic book : aux États-Unis, fascicule de bande dessinée proposant un épisode complet ou un chapitre d'une « saga » plus longue. Le *comic book* est un produit de presse, à périodicité régulière.

Comic strip : aux États-Unis, bandes dessinées paraissant dans la presse quotidienne. En semaine, elles se composent d'une seule bande, en noir et blanc (*daily strip*), tandis qu'elles bénéficient le dimanche d'un espace plus important, en couleurs (*sunday page*).

Crayonné : état de la planche avant encrage. Le dessinateur exécute d'abord ses dessins au crayon, les précisant et les corrigeant jusqu'à ce qu'il en soit satisfait. Il les repasse ensuite à l'encre de Chine.

Découpage : distribution du scénario dans une suite de cases qui forment une séquence narrative. Le découpage détermine le contenu de chaque image.

Fanzine : publication réalisée bénévolement par des amateurs. Les fanzines informent sur la bande dessinée et publient des auteurs débutants.

Lettrage : forme des lettres composant le texte placé dans les bulles ou les récitatifs. Action de tracer ces lettres, à la plume ou au rotring.

Manga: nom donné, au Japon, à la bande dessinée, mais aussi au dessin d'humour et aux films d'animation. Le terme signifie à peu près : image grotesque, dérisoire.

Mise en page: organisation des cases dans la planche. Définit la forme, la superficie et l'emplacement de chacun des cadres.

Onomatopée: assemblage de lettres imitant un bruit, un son.

Phylactère: *voir* bulle.

Planche: nom donné à une page de bande dessinée. La planche originale est la feuille sur laquelle a travaillé le dessinateur.

Portfolio: emboîtage réunissant plusieurs images d'un même artiste ou autour d'un même thème.

Pulps: magazines américains imprimés sur du mauvais papier et publiant des romans populaires.

Récitatif: espace encadré accueillant un commentaire sur l'action ou une intervention du narrateur. Ce texte même.

Scénariste: personne qui imagine l'histoire, et qui fournit au dessinateur le découpage ainsi que les dialogues. Le dessinateur peut être son propre scénariste.

Sérigraphie: procédé d'impression ; l'image produite par ce moyen. À tirage limité, les sérigraphies BD sont des illustrations inédites ou des cases agrandies.

Space opera: catégorie de récits de science-fiction, consistant en épopées galactiques dont les personnages se déplacent de planète en planète au moyen d'astronefs.

Strip: bande horizontale composée d'une ou de plusieurs cases. Le *strip* peut être une unité autonome (*voir comic strip*) ou un « étage » au sein de la planche.

Superhéros: personnage positif doué de pouvoirs supranaturels (ou auquel ses adversaires prêtent une dimension surhumaine).

Tirage de tête: version luxueuse d'un album, imprimée en nombre limité en plus du tirage ordinaire.

Vignette: (*voir* case).

Bibliographie

Livres

BAETENS (Jan) et LEFEVRE (Pascal),
Pour une lecture moderne de la bande dessinée,
Centre belge de la bande dessinée, 1993.
D'un accès parfois difficile, des analyses en profondeur de quelques œuvres marquantes.

BÉRA (Michel), DENNI (Michel) et MELLOT (Philippe),
Trésors de la bande dessinée,
éd. de l'Amateur, remis à jour tous les deux ans (dernière édition 1995/1996).
À la fois un catalogue encyclopédique et un Argus indiquant la cote des pièces de collection.

Cinéma et bande dessinée,
sous la direction de Gilles CIMENT,
CinémAction hors-série,
Corlet-Télérama, 1990.
Indispensable pour tout comprendre des relations (historiques, techniques, artistiques) entre les deux grandes formes du récit visuel.

GAUMER (Patrick),
Les Années Pilote,
Dargaud, 1996.
De 1959 à 1989, la chronique minutieuse et passionnante du journal par lequel la BD française est devenue adulte.

GAUMER (Patrick) et MOLITERNI (Claude),
Dictionnaire mondial de la bande dessinée,
Larousse, 1994.
Le plus récent et le plus complet des dictionnaires encyclopédiques sur le 9e Art.

GROENSTEEN (Thierry),
L'Univers des mangas, une introduction à la bande dessinée japonaise,
Casterman, 2e éd. 1996.
Avec un dictionnaire des principaux auteurs.

MASSON (Pierre),
Lire la bande dessinée,
Presses universitaires de Lyon, 1985.
Utile pour une première analyse, notamment pour les enseignants.

PEETERS (Benoît),
Case planche récit, Comment lire une bande dessinée,
Casterman, 1991.
Une approche claire, intelligente et neuve de questions comme la mise en page et la relation scénariste-dessinateur.

PEETERS (Benoît),
La Bande dessinée,
Flammarion, coll. «Dominos», 1993.
Livre de réflexion plus que d'érudition, il ouvre d'intéressantes perspectives pour un renouvellement du média.

DOMAINE FRANÇAIS   *COMICS*   AUJOURD'HUI

Répertoire professionnel de la bande dessinée francophone,
coordonné par Catherine Ternaux, Centre national de la bande dessinée et de l'image; 5ᵉ édition: janvier 1996. Tous les acteurs de la bande dessinée (éditeurs, libraires, galeristes, chercheurs) et toutes les institutions ou associations y sont répertoriés.

Revues

Le Collectionneur de bandes dessinées.
Revue trimestrielle érudite, qui s'attache surtout à l'étude du riche patrimoine de la BD française et internationale. 80 nᵒˢ parus (3 rue Castex, 75004 Paris).

9ᵉ Art.
Revue annuelle d'étude et de réflexion sur l'histoire et l'esthétique de la bande dessinée (CNBDI, 121 rue de Bordeaux, 16000 Angoulême).

Hop!
Revue trimestrielle qui recense tout ce qui paraît. Un numéro sur deux est un «spécial nostalgie» consacré à l'exhumation de BD anciennes (56 bd Lintilhac, 15000 Aurillac).

Le Petit Bullaire.
Revue semestrielle proposant un panorama commenté de toutes les nouveautés de bande dessinée, ainsi que des bibliographies thématiques (CRDP de Poitou-Charentes, 6 rue Sainte-Catherine, 86034 Poitiers Cedex).

Index
des principaux noms cités

Le numéro de renvoi correspond à la double page.

Responsable éditorial
Bernard Garaude
Directeur de collection – Édition
Dominique Auzel
Secrétariat d'édition
Véronique Sucère
Correction – révision
Jacques Devert
Iconographie
Sandrine Batlle
Conception graphique– Couverture
Bruno Douin
Maquette
Isocèle
Fabrication
Isabelle Gaudon
Sandrine Sauber-Bigot

Crédit photos
Explorer : pp. 4, 7, 52/ Archives photos : p. 8/ DR : pp. 10, 26, 27, 34, 46/ Cinémathèque de Toulouse : p. 47/ P. Massacret - Milan Presse : pp. 50-51/ Musée d'Angoulême : p. 55/ p. 56 : *Garfield n'oublie pas sa brosse à dents* - © 1996 Paws Inc / by Jim Davis, distribué par Dargaud Éditeur/ p. 57 : «Le cœur à droite - Jérôme K. Jérôme et Bloche Dodier» © Dupuis 1996/ «Tom Carbone : en bonne compagnie» - © 1991 by Cromheecke, Letzer and Édition Dupuis/ p. 61 : «XIII : Le Jour du soleil noir» - W. Wance et J. Van Hamme - © Dargaud Benelux 1984/ «Les Aventures de Spirou et Fantasio - Panade à Champignac (n°19) - © 1969 by Franquin et Éditions Dupuis/ p. 62: *La Galère d'Obélix* - R. Gosciny et A. Uderzo - © 1996 Les Éditions Albert René/ Gosciny - Uderzo

Aubin Imprimeur, 86240 Ligugé.
D.L. octobre 1998. - Impr. P 57064

Les erreurs ou omissions involontaires qui auraient pu subsister dans cet ouvrage malgré les soins et les contrôles de l'équipe de rédaction ne sauraient engager la responsabilité de l'éditeur.